Brave Lolis Learns English

LA VALIENTE LOLIS APRENDE INGLÉS

Written by

por

...noza

by

Ilustrado por
Robert Blancas

---

*"What you think about,
you bring about."*

"Lo que piensas, es lo que atraes"

Bob Proctor

I wish to dedicate this book to all the courageous second-language learners in their journey of learning and the amazing supportive and compassionate teachers they encounter along the way.

I also wish to dedicate this book to my husband, Leonard Carrillo, and my parents who always supported and encouraged me to discover my voice and make my own path.

Deseo dedicar este libro a todos los valientes estudiantes que aprenden inglés como segundo idioma en su jornada de aprendizaje y a los increíbles maestros que encuentran en el camino por su apoyo y compasión.

También deseo dedicar este libro a mi esposo, Leonard Carrillo, y a mis padres que siempre me apoyaron y me alentaron a descubrir mi voz y crear mi propio camino.

It was only the first week of school and already Lolis knew she was in trouble.

Lolis bit her nails and fidgeted in her seat. Her teacher, Ms. Martinez, asked her to recite her ABCs.

"A, B, C, D, E, F, G … " Lolis paused. She had learned the alphabet in kindergarten but had forgotten everything!

"Lolis, you know this. Just think," Ms. Martinez said. But no matter how hard Lolis tried, she couldn't remember.

Era apenas la primera semana de escuela y Lolis ya sabía que tenía problemas.

Lolis se mordía las uñas y se movía inquieta en su asiento. Su maestra, la señora Martínez, le había pedido que recitara el abecedario.

"A, B, C, D, E, F, G … " Lolis se detuvo. ¡Había aprendido el alfabeto en el kínder, pero ya se le había olvidado todo!

"Lolis, eso tú ya lo sabes. Nada más ponte a pensar", le dijo la señora Martínez. Pero, por más que Lolis intentó acordarse, no pudo.

When Lolis got back to her desk,
she wiped away the tears on her face
and looked around.
All the other kids were smiling.

Everyone knows their ABCs except me, Lolis thought.
First grade is the worst.

Cuando Lolis regresó a su escritorio,
se limpió las lágrimas que le corrían por su
cara y miró a su alrededor.
Los demás niños estaban sonriendo.

Todos saben el abecedario menos yo, pensó Lolis.
El primer grado es lo peor.

"How was school?" Dad asked when Lolis got home.

Lolis shrugged her shoulders, saying,
"I'm going to my room."

Lolis spent the rest of the day in her room.
At dinner, she wasn't hungry and didn't eat.

"¿Cómo te fue en la escuela?", le preguntó su papá
cuando Lolis regresó a casa.

Lolis encogió sus hombros y dijo
"me voy a mi cuarto".

Lolis pasó el resto del día en su cuarto.
A la hora de la cena, no tenía hambre y no comió.

Just before bedtime, Mom went in to give
Lolis a good-night kiss.

"Do you want to read me one of your favorite Spanish books?"
Mom asked.

"I'm too tired," Lolis said.

Justo antes de la hora de dormir, su mamá entró a darle a
Lolis su besito de buenas noches.

"¿Quieres leerme uno de tus libros favoritos en español?",
le preguntó su mamá.

"Estoy muy cansada", contestó Lolis.

Sitting in her rocker, Lolis's mom practiced English
as she waited for Lolis to fall asleep.
"Learning English is so easy," Mom whispered.

Lolis sighed. *How could learning English be easy?*

Sentándose en su mecedora, la mamá de Lolis se puso a
practicar su inglés mientras esperaba que Lolis se durmiera.
"Aprender inglés es muy fácil", dijo su mamá en voz baja.

Lolis suspiró, *"¿Cómo puede ser fácil aprender inglés?"*.

The next morning at school, Ms. Martinez
tested everyone in reading.

"Dog. Ball. Girl," Lolis read aloud.

"Good job, Lolis," Ms. Martinez said. "Now what's this one?"
She held up a flashcard.

"Umm…," her palms turned sweaty. "I don't know," Lolis
mumbled. She couldn't read the next four words either.

Al día siguiente, en la escuela, la señora Martínez
les dio a todos una prueba de lectura.

"Dog, Ball, Girl", leyó Lolis en voz alta.

"Muy bien hecho, Lolis", dijo la señora Martínez. "Ahora, ¿qué dice
aquí?", le preguntó, mientras le enseñaba una tarjeta.

"Umm…", le empezaron a sudar las palmas de las manos.
"No sé", dijo Lolis muy quedito. Tampoco pudo leer las siguientes
cuatro palabras.

Aa Bb Cc Dd Ee Ff Gg Hh Ii Jj Kk Ll Mm Nn Oo Pp Qq R

What are we learning?

reading	
writing	
math	
science	
phonics	
spelling	

SPELLING

cat   dog
ball   girl
boy   bat
run   boat
hat   sun

FIVE

DOG

GIRL

BALL

How could anyone remember all those words?
Lolis thought.

She didn't look at anyone as she walked back to her desk.

¿Cómo se puede acordar uno de todas esas palabras?
pensó Lolis.

De regreso a su escritorio, no se fijó en nadie.

At the end of the day, Ms. Martinez made an announcement.

"Tomorrow we'll have a short writing test and then a read aloud. Please practice your vocabulary words."

Lolis's stomach twisted into a knot.

I can't write or read in English, thought Lolis. *And I can't read in front of everyone! What am I going to do?*

Al final del día, la señora Martínez hizo un anuncio.

"Mañana tendremos una pequeña prueba de escritura y luego nos van a leer en voz alta. Por favor practiquen sus palabras de vocabulario".

El estómago de Lolis se le retorció en un nudo.

No sé escribir ni leer en inglés, pensó Lolis. *¡Y no puedo leer enfrente de todos! ¿Qué voy a hacer?*

That night Lolis heard her mom practicing English again.

"Learning English is so easy," Mom whispered.

Lolis clenched her fists. "Learning English is hard," she blurted out. "I don't want to go back to school tomorrow!"

Esa noche Lolis oyó a su mamá practicando su inglés de nuevo.

"Aprender inglés es muy fácil", dijo su mamá en voz baja.

Lolis apretó los puños. "Aprender inglés es muy difícil", dijo bruscamente. "¡No quiero regresar a la escuela mañana!".

Sitting on the bed next to Lolis, her mom said, "Learning something new is not always easy."

"Why is learning English easy for you?" Lolis asked.

"It's easy because I tell myself that it is easy."

"Kind of like pretending?" Lolis asked.

"Exactly," Mom said. "The more I pretend that it's easy, the easier it becomes."

"When does it get easier?" Lolis asked.

"As soon as you start believing it. It may not happen right away, but it will happen. You just need to believe it."

"I'll try," said Lolis. "I'll try." As she fell asleep, Lolis whispered to herself, "Learning English is easy and fun."

Sentándose a su lado su mamá le dijo, "Aprender algo nuevo no siempre es fácil".

"¿Por qué para ti es fácil aprender inglés?", preguntó Lolis.

"Es fácil porque me digo a mí misma que es fácil".

"¿Algo así como pretender?", preguntó Lolis.

"Exactamente", dijo su mamá. "Entre más pretendo que es fácil, se me va haciendo más fácil".

"¿Cuánto se tarda para ser más fácil?", preguntó Lolis.

"En cuanto empieces a creerlo. Puede que no sea de inmediato, pero va a pasar. Sólo necesitas creerlo".

"Voy a intentar", dijo Lolis, "Voy a intentar". Se fue quedando dormida diciéndose a sí misma, "Aprender inglés es fácil y divertido".

The next morning, Lolis made up a song to help her remember what her mom said.

"Learning English is easy and fun. A, B, C, D, E, F, G! Learning English is easy and fun. A, B, C, D, E, F, G ... H, I, J! Learning English is easy and fun," she repeated as she skipped to school. "A, B, C, D, E, F, G, H, I, J ... K, L, M, N!"

A la mañana siguiente, Lolis inventó una cancioncita para ayudarse a recordar lo que le había dicho su mamá.

"Aprender inglés es fácil y divertido. ¡A, B, C, D, E, F, G! Aprender inglés es fácil y divertido. ¡A, B, C, D, E, F, G ... H, I, J! Aprender inglés es fácil y divertido", repetía mientras iba saltando camino a la escuela. "¡A, B, C, D, E, F, G, H, I, J ... K, L, M, N!".

In class Ms. Martinez passed out blank pieces of paper.
She asked everyone to draw a picture and write three
complete sentences about it.

Lolis stared at the paper and took a deep breath.
She closed her eyes and gripped her pencil.

"Learning English is easy and fun," she whispered.
She said it three times to make sure that it would work.

En la clase, la señora Martínez repartió hojas de papel en
blanco y les pidió a todos que hicieran un dibujo y escribieran
tres oraciones completas.

Lolis miró el papel y respiró profundamente.
Cerró los ojos y tomó su lápiz.

"Aprender inglés es fácil y divertido", se dijo en voz baja.
Lo repitió tres veces para asegurarse de que funcionara.

♪ Learning English is fun and easy! ♪

Before Lolis knew it, Ms. Martinez was standing
at the front of the classroom.

"Pencils down," she announced. "Please get ready to share."

One by one, Ms. Martinez called everyone up to
the front of the class.

Para cuando Lolis se dio cuenta, la señora Martínez ya
estaba al frente del salón.

"Lápices abajo", anunció la señora Martínez.
"Por favor, prepárense para compartir".

Uno por uno, la señora Martínez fue llamando a
todos al frente de la clase.

When Lolis was called, she took a deep breath and stood up. As she walked to the front of the class, everyone stared at her. Lolis's hands trembled.

I can't read in front of everyone! Lolis thought. But then she remembered what her mom had said.

"Learning English is easy and fun," she whispered to herself.

Cuando le hablaron a Lolis, respiró profundo y se puso de pie. Mientras caminaba hacia el frente de la clase, todos la miraban atentamente. Le temblaban las manos.

¡No puedo leer delante de todos!, pensó Lolis. Pero luego se acordó de lo que su mamá le había dicho.

"¡Aprender inglés es fácil y divertido!", se dijo en voz baja.

Lolis held up her paper to show her drawing.

"That's a beautiful drawing," Ms. Martinez said.

"I like the big dog!" Juanito shouted.

Lolis giggled. She took another deep breath, and then she read her sentences.

"The girl has a ... has a dog." Lolis took a deep breath. "The b ... boy has a ball." Lolis took another deep breath. "The b ... boy and girl play."

Even though some of the words didn't look right, it was easy for Lolis to read her own writing.

Lolis levantó su papel y enseñó su dibujo.

"Qué bonito dibujo", dijo la señora Martínez.

"¡Me gusta el perro grandote!", gritó Juanito.

Lolis se rió. Tomando otro respiro profundo, y empezó a leer sus oraciones.

"The girl has a ... a dog." Lolis respiró profundo. "The b ... boy has a ball." Lolis volvió a respirar profundo. "The b ... boy and girl play."

Aunque algunas de las palabras no se veían correctas, para Lolis fue fácil leer su propia letra.

"That's wonderful," said Ms. Martinez.

Everyone, including Ms. Martinez, clapped.

Lolis smiled as she walked back to her desk.

"That was awesome, Lolis," the girl next to her whispered.

"Thanks," Lolis said. "Learning English is easy and fun!"

"¡Maravilloso!", dijo la señora Martínez.

Todos aplaudieron, incluyendo la señora Martínez.

Sonriente, Lolis regresó a su escritorio.

"Eso fue increíble, Lolis", susurró la niña que estaba a su lado.

"Gracias", le dijo Lolis. "¡Aprender inglés es fácil y divertido!".

Afterwards, Ms. Martinez congratulated everyone on their great stories. Then she had one more announcement.

"Since this is a bilingual classroom, tomorrow I'll start testing you in Spanish. A lot of you know Spanish already, so I'm excited to hear you read."

Al terminar, la señora Martínez los felicitó por sus excelentes historias. Luego hizo un anunció más.

"Como este es un salón de clases bilingüe, mañana voy a empezar a darles pruebas en español". Sé que muchos de ustedes ya saben español, así que me dará mucho gusto escucharlos leer".

That evening at dinner, Lolis couldn't stop talking about how much fun she had at school. She talked about sharing her drawing, reading to the whole class, and how everyone had clapped at the end.

"I started telling myself that learning English was easy and fun. Then I started believing it!" she said.

"Great job," Mom said.

"And tomorrow, I get to read in Spanish," Lolis continued. "First grade is the best!"

Esa noche, durante la cena, Lolis no podía dejar de hablar de lo mucho que se había divertido en la escuela. Contó cómo había enseñado su dibujo, cómo había leído ante toda la clase y cómo todos le habían aplaudido al final.

"Empecé a decirme a mí misma que aprender inglés era fácil y divertido. ¡Y luego me lo empecé a creer!".

"Estupendo", le dijo su mamá.

"Y mañana, me toca leer en español", exclamó Lolis. "¡El primer grado es el mejor!".

About the Author

Armida Espinoza is a retired bilingual elementary school teacher. She is a first-generation Mexican American and faced many of the same challenges second-language learners endure today. Armida hopes to write stories that meet young second-language learners where they are, validate the reality they live through, and help them conquer their greatest fears and insecurities.

Armida currently lives in Fresno, California with her husband and three furry friends, Luna, a boy named Sue, and Cutie Boy.

Armida Espinoza es una maestra bilingüe, jubilada de la enseñanza primaria. Es Mexicana Americana de primera generación y enfrentó muchos de los mismos desafíos que los estudiantes que aprenden inglés como segundo idioma siguen enfrentando hasta el día de hoy. Armida espera escribir historias que den a conocer a los jóvenes que aprenden inglés como segundo idioma dondequiera que se encuentren, validar la realidad que viven y ayudarlos a conquistar sus mayores miedos e inseguridades.

Actualmente, Armida vive en Fresno, California, con su esposo y tres amiguitos peludos, su perrita Luna, un perrito llamado Sue, y otro llamado Cutie Boy.

You can learn more about Armida at **www.armidaespinoza.com**

About the Illustrator

Robert Blancas developed an interest in drawing at a very young age. After receiving his first Marvel Avengers comic book from his mother, Robert knew he wanted to pursue a career in art. After a few years of studying on his own, Robert enrolled at California State University, Fresno, where he began to study techniques and concepts while developing his own style. Currently a graphic designer, Robert is also a freelance artist.

Robert lives in Fresno, California with his 3 children who are all pursuing dreams of their own.

Roberto Blancas desarrolló un interés por el dibujo desde joven. Después de recibir su primer libro de historietas de los Vengadores de "Marvel" de su madre, Roberto supo que quería emprender una carrera relacionada con el arte. Después de unos años de estudiar por su cuenta, Roberto se matriculó en la Universidad Estatal de California, Fresno, donde comenzó a estudiar técnicas y conceptos de dibujo mientras desarrollaba su propio estilo. Actualmente, es diseñador gráfico y también es un artista independiente.

Roberto vive en Fresno California con sus tres hijos quienes persiguen sus propios sueños.

You can learn more about Robert at **www.robertsimages.com**

Made in the USA
Coppell, TX
29 November 2022

87403345R00026